W9-CHI-651

CANAL
COCINA
LA COMIDA NOS UNE®

COCINA PARA GOLOSOS

Masas dulces y saladas

Las mejores recetas de los programas *Amasa +*
y *La vida es dulce* de Marta Cárdenas

Grijalbo

El papel utilizado para la impresión de este libro ha sido fabricado a partir de madera procedente de bosques y plantaciones gestionadas con los más altos estándares ambientales, garantizando una explotación de los recursos sostenible con el medio ambiente y beneficiosa para las personas. Por este motivo, Greenpeace acredita que este libro cumple los requisitos ambientales y sociales necesarios para ser considerado un libro «amigo de los bosques». El proyecto «Libros amigos de los bosques» promueve la conservación y el uso sostenible de los bosques, en especial de los Bosques Primarios, los últimos bosques vírgenes del planeta.

Primera edición: febrero de 2013

Maquetación: Roser Colomer

Fotocomposición: gama sl

Printed in Spain - Impreso en España

ISBN: 978-84-253-5004-7

Depósito legal: B-1117-2013

Impreso y encuadernado en Egedsa, Sabadell (Barcelona)

G R 5 0 0 4 7

SUMARIO

PRESENTACIÓN
Marta Cárdenas

La repostería es la rama más dulce de la cocina. Amasar, moldear y decorar son las técnicas de un arte que se disfruta y se saborea. Elaborar postres y otros dulces es un placer igual o mejor que degustarlos: el cocinero da rienda suelta a su creatividad, puede imponer sus preferencias culinarias y estéticas a su gusto, y dispone de múltiples posibilidades de elaboración y de diferentes tipos de dulces y variedades de masas con que jugar a su antojo.

Los dulces están vinculados a los usos y costumbres sociales. Cada ocasión especial cuenta con un manjar con qué celebrarla. El encanto del dulce reside en su procedencia: un dulce elaborado en casa, a mano, por una persona que ha depositado en él todo su esfuerzo y amor, posee un valor incalculable.

Marta Cárdenas es una joven profesional del mundo de la repostería. Durante más de 12 años ha colaborado en la preparación de cursos de cocina para su madre, Isabel Maestre. Actualmente, se ocupa de captar nuevas tendencias en los aspectos de decoración, organización y logística de eventos para el Obrador de Cocina de Isabel Maestre. También es profesora en la escuela de Cocina Alambique de Madrid.

AMASA +
MASAS SALADAS

Empanada gallega

Para la masa:
- 500 g de harina
- 200 ml de aceite
- 150 ml de leche
- ½ cucharadita de levadura en polvo
- sal

Para el relleno:
- 500 g de tomate triturado
- 200 g de pimientos rojos y verdes
- 200 g de bonito en aceite
- 2 cebollas
- sal

Para hacer la masa, mezclamos la harina con la sal, la levadura, el aceite y la leche.

Amasamos bien y dejamos reposar durante ½ hora.

Mientras, picamos las cebollas que rehogamos en una sartén con aceite.

Añadimos el tomate y los pimientos cortados. Dejamos cocinar suavemente durante 1 hora.

Cuando el relleno esté frío, precalentamos el horno. En una superficie enharinada, estiramos la masa y la dividimos en dos. Colocamos una mitad sobre un molde untado con aceite y enharinado.

Disponemos encima el relleno e incorporamos el bonito desmenuzado.

Cubrimos con la otra mitad de masa, cerramos los bordes, pinchamos con un tenedor y pintamos con huevo.

Cocinamos la empanada en el horno durante 45 minutos a 200 °C. Servimos.

Tatín de verduras

- 2 calabacines en rodajas
- 2 berenjenas en rodajas
- 300 g de tomate confitado
- 1 lámina de hojaldre

Para la vinagreta:

- 200 ml de aceite de oliva
- 100 ml de vinagre balsámico
- 1 ramillete de menta picada
- sal

Precalentamos el horno. Pasamos por la plancha el calabacín y la berenjena. Condimentamos con sal.

En un molde forrado con papel sulfurizado colocamos a modo de tatín, es decir, al revés, las rodajas de calabacines y berenjenas.

A continuación, ponemos el tomate confitado.

Por último, cubrimos con la lámina de hojaldre pinchándola con un tenedor para que no suba.

Cocemos en el horno a 180 °C durante 40 minutos.

Dejamos enfriar y desmoldamos la tarta dándole la vuelta.

Mezclamos el aceite con el vinagre balsámico y añadimos las hojas de menta picadas. Mezclamos todo bien hasta conseguir una emulsión y rociamos con ella la tarta tatín.

Servimos.

Rollitos de brick y morcilla con salsa de miel

- 1 morcilla de cebolla
- 1 paquete de pasta brick
- 1 clara de huevo
- 100 ml de miel
- el zumo de ½ limón
- agua
- aceite

Cortamos la masa brick en tiras rectangulares.

Colocamos en cada tira un poco de morcilla desmenuzada, envolvemos y cerramos. Sellamos los rollitos con un poco de clara de huevo.

Para preparar la salsa de miel, hervimos la miel con unas gotitas de agua y el zumo de limón.

En abundante aceite, freímos los rollitos hasta que queden dorados.

Servimos acompañados de la salsa de miel.

Si lo deseamos, podemos prepararlos en forma de triángulo cortando una tira ancha rectangular. Colocamos el relleno en un extremo y llevamos la esquina donde está el relleno sobre el lado opuesto hasta formar un triángulo. Continuamos plegando la masa manteniendo la forma triangular.

Crepes de marisco

Para la masa:
- 250 g de harina
- 500 ml de leche
- 150 ml de agua
- 4 huevos
- sal

Para el relleno:
- 500 g de marisco (al gusto)
- 250 g de champiñónes cortados en láminas
- 4 chalotas picadas
- 60 ml de nata
- 4 yemas
- 50 g de emmental rallado

Primero mezclamos los ingredientes de la masa con una batidora eléctrica. La dejamos reposar 30 minutos. En una sartén antiadherente derretimos un poco de mantequilla sin dejar que se queme. Cocinamos las crepes por ambos lados.

Para el relleno, rehogamos las cabezas del marisco y añadimos el agua para preparar un caldo. Cuando esté listo lo colamos y reducimos hasta tener 40 ml.

Añadimos la nata al caldo y lo dejamos reducir de nuevo hasta unos 70 ml.

Cocemos y desmenuzamos el marisco.

En una sartén rehogamos las chalotas con la mantequilla. Agregamos el marisco y los champiñones. Apagamos el fuego, añadimos la mitad de la reducción del caldo y mezclamos bien.

Rellenamos las crepes con la mezcla, las doblamos en forma de sobre y las horneamos a 200 °C durante 10 minutos.

Por último echamos la salsa por encima de los crepes y espolvoreamos el queso.

Y gratinamos en el momento antes de servir.

Nidos de kataifi con cordero

- 500 g de pasta kataifi
- 1 kg de carne de cordero recental (de entre 60 y 90 días)
- mantequilla
- 250 g de ciruelas pasas en remojo
- 100 g de almendras en láminas
- 1 cebolla
- 100 g de mantequilla clarificada
- 1 cucharada de canela
- 1 cucharada de miel
- 1 cucharada de pimienta
- 40 ml de agua
- sal

Cortamos la carne en dados y picamos la cebolla. En una olla grande, ponemos la carne con sal, pimienta, canela, cebolla, mantequilla y el agua a hervir. Dejamos cocer muy lentamente hasta que la carne esté tierna y se reduzca el líquido.

Añadimos las ciruelas y la miel, y espesamos un poco más hasta dejar una salsa.

Ojo: esto no da ninguna salsa; hemos hervido todos los ingredientes en agua. Falta especificar también el tiempo de cocción de la carne.

Envolvemos los hilos de la pasta kataifi formando nidos (uno grande o varios individuales) que colocamos en aros de pastelería encima de una bandeja de horno. Pintamos los nidos con la mantequilla clarificada y los cocemos al horno, siguiendo el tiempo y la temperatura que indique el envase. Reservamos.

A la hora de servir, calentamos el relleno de cordero, y los nidos en el horno.

Rellenamos cada nido con la carne y espolvoreamos con las láminas de almendras. Servimos.

En lugar de hornear los nidos, podemos freírlos en un molde para hacer nidos de patata paja en la sartén.

Wonton de cerdo

- 300 g de masa para wonton
- 300 g de carne de cerdo picada
- 50 g de setas chinas
- 1 cucharada de salsa de soja
- 1 cucharada de vinagre de soja
- 1 trozo de jengibre rallado
- 1 diente de ajo
- 1 huevo
- sal

Picamos finamente el ajo y las setas. Batimos el huevo. En un bol grande, mezclamos bien la carne de cerdo, las setas, la salsa de soja, el vinagre, el jengibre, el ajo y el huevo.

Disponemos las láminas de wonton sobre una superficie enharinada y cortamos cuadrados de unos 10 cm de lado. Con una cucharadita rellenamos las láminas con la mezcla dejando un espacio en los bordes.

Humedecemos los bordes y cerramos como si fueran empanadillas. Las cocemos al vapor durante 10 minutos.

Servimos.

Wonton de gambas

- 300 g de gambas peladas
- 2 cebolletas
- 1 cucharada de salsa de soja
- 1 cucharada de vinagre de soja
- 1 trozo de jengibre rallado
- 1 diente de ajo
- sésamo
- 1 huevo
- sal

Para el relleno, mezclamos las gambas picadas, con las cebolletas cortadas muy finas, la soja, el vinagre, el jengibre, el ajo picado, la sal y el huevo batido.

Disponemos las láminas de wonton sobre una superficie enharinada y cortamos cuadrados de unos 10 cm de lado. Con una cucharadita rellenamos las láminas con la mezcla dejando un espacio en los bordes.

Humedecemos los bordes y cerramos como si fueran empanadillas. Las cocemos al vapor durante 10 minutos.

Servimos.

Masa de pizza

- 400 g de harina
- 15 g de levadura fresca de panadería
- 200 a 250 ml de agua
- 2 cucharadas de aceite
- sal

Primero mezclamos la levadura con un poco de agua tibia y la dejamos reposar 15 minutos. Ponemos en un bol la harina con la sal y en el centro colocamos la levadura.

Después, añadimos el agua que admita la masa. Trabajamos con fuerza unos 6-8 minutos hasta tener una masa fina y elástica.

Dejamos reposar la masa bien tapada con un paño húmedo en un lugar templado, hasta que doble su volumen (unas 2 horas).

Finalmente, estiramos la masa y la colocamos en una bandeja de horno untada con aceite.

Pissaladière

- 500 g de masa de pizza
- 3 cebollas
- 100 g de anchoas en aceite
- 100 g de aceitunas negras sin hueso
- 1 ramillete de tomillo
- 1 hoja de laurel
- aceite de oliva
- pimienta
- sal

En primer lugar, extendemos la masa de pizza sobre una bandeja de horno, formando un rectángulo de masa bien estirada.

Por otro lado, rehogamos la cebolla picada en juliana en una sartén con aceite. Añadimos el laurel y el tomillo. Dejamos cocer muy suavemente. Por último, añadimos las anchoas cortadas en trocitos.

Colocamos el relleno sobre la masa de pizza.

Horneamos a 220 °C durante 20 minutos.

Unos minutos antes de retirar del horno, colocamos las aceitunas negras.

Cuando la saquemos del horno, espolvoreamos con un poco más de tomillo y servimos.

Blinis

- 250 g de harina
- 3 yemas
- 15 ml de aceite
- 300 ml de leche tibia
- 15 g de levadura fresca de panadería
- 75 g de mantequilla fundida
- 3 claras montadas a punto de nieve
- 15 g de azúcar
- 1 cucharadita de sal

Para la salsa:

- 100 ml de agua
- 100 ml de azúcar
- 200 ml de mayonesa
- 1 cucharada de mostaza
- 1 cucharada de salsa perrins
- 1 cucharada de eneldo picado
- 300 g de salmón ahumado

Ponemos la harina en un cuenco con la sal. Mezclamos las yemas con el aceite y las incorporamos a la harina. Disolvemos la levadura en la leche tibia, añadimos la mantequilla fundida y mezclamos todo hasta obtener una masa semilíquida. Dejamos reposar durante 1 hora.

Montamos las claras a punto de nieve y añadimos el azúcar.

Incorporamos con cuidado a la masa que teníamos reposando.

En una sartén con un poco de mantequilla, ponemos medio cucharón de masa para hacer los blinis de forma que queden como crepes pequeños. Les damos la vuelta cuando estén dorados por un lado. Repetimos la operación hasta terminar con la masa.

Para la salsa de eneldo, primero ponemos en el fuego el agua con el azúcar bien diluido para hacer un almíbar. Cuando esté frío, lo mezclamos con la mayonesa, la mostaza, la salsa perrins y el eneldo picado.

Servimos los blinis con el salmón ahumado y la salsa de eneldo.

Tartaletas de tomate y mostaza

- 4 tartaletas de hojaldre
- 2 tomates
- 1 ramito de albahaca
- 10 ramitas de cebollino
- 80 g de ricota
- 100 ml de nata
- 2 huevos
- 50 g de parmesano rallado
- ½ cucharada de mostaza a la antigua
- 1 cucharada de mostaza en polvo
- pimienta
- sal

En primer lugar, batimos los huevos con la nata.

Mezclamos con la ricota y el parmesano rallado.

Añadimos la albahaca y el cebollino picados, y mezclamos bien con las dos mostazas. Salpimentamos.

Rellenamos las tartaletas con la mezcla de huevos y quesos, y encima de cada una ponemos una rodaja de tomate.

Horneamos a 180 °C durante 20 minutos.

Servimos.

Pastela de pollo y almendras (empanada de Marrakech)

- 1 pollo grande
- 1 kg de cebollas
- 6 huevos
- 1 manojo grande de perejil
- 250 g de almendras
- 1 cucharada de jengibre molido
- 1 chorrito de agua de azahar
- azúcar
- 250 ml de aceite de oliva
- 8 hebras de azafrán
- 50 g de azúcar glas
- 50 g de canela
- sal gorda

Para la masa:

- un paquete de obleas de pasta brick
- mantequilla fundida

Para las cebollas caramelizadas:

- 3 cebollas
- 100 ml de aceite de girasol
- 60 g de azúcar
- 3 cucharadas de canela

Colocamos el pollo cortado en trozos grandes en una olla y añadimos el jengibre, la pimienta blanca, el azafrán, la sal y el aceite de oliva. Incorporamos las cebollas cortadas en trozos, el agua de azahar y el perejil. Vertemos un vaso de agua y cocemos tapado durante 2 horas. Retiramos el pollo, sacamos los huesos y la piel y lo partimos en trocitos.

Batimos los huevos, los mezclamos con el pollo y rectificamos de sal. Picamos las almendras y las mezclamos con el relleno.

Cubrimos el molde con 3 hojas de pasta brick untadas por los dos lados de aceite, tanto el centro como los laterales. Colocamos encima la mezcla de pollo y la tapamos con otra hoja de pasta untada en aceite. Cerramos con las hojas que habíamos puesto debajo. Ponemos encima otras 2 hojas bien untadas en aceite. (La última hoja que hemos puesto es por protección, porque quedará más tostada, así que la quitaremos al terminar de hornearla.) Horneamos a 180 °C durante 30 minutos.

Picamos las cebollas y las rehogamos con el aceite. Cuando estén transparentes, caramelizamos con el azúcar e incorporamos la canela. Servimos la pastela espolvoreada con azúcar glas y canela, y con las cebollas caramelizadas.

Barbagiuans rellenos de trufa y espinacas

- 8 discos de empanadilla

Para el relleno de trufa:
- 3 bolas de mozarella
- 8 alcachofas cocidas
- 100 g de tomate confitado
- 50 g de trufa
- pimienta
- sal

Para el relleno de espinacas:
- 1 cebolla
- 1 puerro
- 1 paquete de espinacas cocidas y escurridas
- 1 cucharada de aceite
- 100 g de queso de Burgos
- 50 g de parmesano rallado
- 2 huevos
- pimienta
- sal

En primer lugar, picamos la mozarella, las alcachofas y la trufa. Mezclamos con el tomate y salpimentamos.

Colocamos el relleno sobre la mitad de las empanadillas, las cerramos y freímos en aceite muy caliente.

Por otro lado, calentamos el aceite y rehogamos la cebolla y el puerro picados, y añadimos las espinacas. Incorporamos los quesos y por último los huevos batidos. Revolvemos sin sacar del fuego para que cuaje.

Rellenamos el resto de las empanadillas con esta mezcla, las cerramos y las freímos en aceite, y servimos.

Buñuelos de bacalao

- 200 g de harina
- 200 ml de agua
- 60 g de mantequilla
- 3 huevos
- 300 g de bacalao desmigado desalado
- 1 diente de ajo
- 1 cucharada de aceite de oliva
- aceite abundante para freír
- perejil

Primero rehogamos en el aceite el ajo, el perejil picado y el bacalao.

A continuación, calentamos el agua con la mantequilla. Cuando rompa a hervir, añadimos la harina y removemos con una cuchara de madera hasta que se integre con el agua. Apartamos del fuego.

Cuando la masa esté templada, añadimos los huevos uno a uno batiendo con energía hasta obtener una masa brillante y esponjosa.

Incorporamos el bacalao escurrido y seguimos batiendo.

Reservamos.

Formamos los buñuelos con dos cucharas soperas y los freímos en aceite bien caliente.

Dejamos escurrir sobre papel absorbente y servimos.

Bollitos rellenos al vapor

- masa de pizza

Para el relleno:
- 2 cebollas
- aceite de oliva
- 1 diente de ajo
- 3 cucharadas de maicena
- 2 cucharadas de salsa hoisin
- 1 cucharada de salsa de soja
- una pizca de sal
- una pizca de azúcar
- 1 pechuga de pollo asada

Picamos las cebollas y el ajo. En una sartén, rehogamos ambos en aceite. Añadimos la maicena y las salsas, y condimentamos con sal y azúcar.

Por último, incorporamos la pechuga de pollo cortada en trozos pequeños. Dejamos enfriar.

Estiramos la masa sobre una superficie enharinada y, con la ayuda de un plato pequeño, la cortamos círculos.

Ponemos en cada círculo un poco de relleno y cerramos por arriba.

Colocamos los bollitos en un recipiente de bambú para cocer al vapor y los dejamos cocer unos 15 minutos.

Servimos.

Burekas de patata y de queso

- 500 g de masa de hojaldre

Para las burekas de patata:

- 3 patatas cocidas
- 1 cebolla picada
- 1 ajo picado
- 2 huevos
- una nuez de mantequilla
- sal

Para las burekas de queso:

- 500 g de queso blanco
- 1 ramillete de perifollo picado
- la ralladura de 1 limón
- 1 huevo
- pimienta
- sal

Para preparar las burekas de patata, hervimos las patatas y, una vez cocidas y templadas, las machacamos con la mantequilla. Rehogamos la cebolla y el ajo y los añadimos a las patatas. Salpimentamos. Incorporamos los huevos mezclando todo bien.

Estiramos el hojaldre y cortamos cuadrados de unos 10 cm de lado. Rellenamos con la preparación de patata dándoles forma de triángulo.

Para las burekas de queso, mezclamos el queso con el perifollo picado, la ralladura de limón y el huevo. Salpimentamos.

Estiramos el hojaldre y cortamos cuadrados de unos 10 cm de lado. Rellenamos con la preparación de queso dándoles forma de triángulo.

Antes de hornear, pintamos con huevo las burekas y las ponemos al horno a 200 °C durante 20 minutos.

Servimos calientes.

Tarta de patata y trufas

- 1 lámina de masa quebrada
- 8 patatas
- 3 huevos (separadas las yemas de las claras)
- 100 g de queso parmesano
- 1 tarrina de queso quark o de nata líquida
- 2 trufas picadas
- 1 cucharadita de nuez moscada
- 1 cucharadita de canela
- 1 ramillete de cebollino
- sal

En primer lugar, hervimos las patatas en agua con sal durante 30 minutos. Hacemos un puré y lo mezclamos con los quesos. Condimentamos con nuez moscada y canela.

Añadimos las yemas. Sazonamos e incorporamos las trufas picadas.

Mezclamos con las claras batidas a punto de nieve y removemos delicadamente.

Forramos un molde redondo con la masa quebrada y rellenamos la tarta con esta mezcla. Horneamos 30 minutos a 180 °C y servimos.

Coca de verduras y butifarra

- 1 cebolla
- 2 calabacines
- 1 berenjena
- 1 pimiento verde
- 1 pimiento rojo
- 2 tomates
- 1 butifarra
- aceite de oliva
- sal

Para la masa:
- 500 g de harina
- 50 g de manteca de cerdo
- 250 ml de aceite
- 15 g de levadura en polvo
- sal

Para preparar la masa, mezclamos la harina con la sal, la levadura, la manteca y el aceite.

Amasamos bien, formamos una bola y dejamos reposar la masa durante 2 horas.

Pasado ese tiempo, damos forma y estiramos la masa sobre una bandeja de horno previamente enharinada.

En una sartén calentamos el aceite, y rehogamos la cebolla, los calabacines, la berenjena y los pimientos picados en trocitos así como los tomates pelados y cortados en trocitos. Sazonamos.

Colocamos la mezcla de verduras y la butifarra cortada en rodajas sobre la masa estirada.

Horneamos a 180 °C unos 20 minutos, hasta que la coca esté dorada y crujiente.

Hojaldre de cebolleta y jengibre

- 200 g de masa de hojaldre
- 5-6 cebolletas
- 200 g de yogur o nata con unas gotas de limón
- 60 g de queso parmesano rallado
- 1 trozo de jengibre fresco
- una pizca de comino
- 2 huevos
- aceite de oliva
- mantequilla

Para la salsa romesco:

- 2 tomates
- 1 cabeza de ajos
- 1 trozo de pan del día anterior
- 200 ml de aceite de oliva
- 2 pimientos choriceros
- 1 cucharada de vinagre de jerez
- 50 g de piñones tostados
- sal

En primer lugar, doramos las cebolletas en una sartén con mantequilla.

Aparte, mezclamos el yogur con los huevos y el jengibre muy picado. Sazonamos con sal y comino.

Engrasamos un molde, lo enharinamos y forramos con la masa de hojaldre. Colocamos la mezcla de yogur sobre la masa.

Ponemos encima las cebolletas doradas. Espolvoreamos con parmesano y horneamos a 180 °C durante 20 minutos.

Para hacer la salsa romesco, asamos el tomate y los ajos. Hidratamos los pimientos choriceros. Ponemos todos los ingredientes en una batidora eléctrica y trituramos. Rectificamos de sal.

Servimos la tarta con la salsa romesco.

Costrada de pepinillos, yogur y menta

Para la base de la costrada:

- 15 galletas cracker
- 50 g de mantequilla
- el zumo de ½ limón

Para el relleno:

- 3 yogures griegos
- 5 pepinillos agridulces
- 1 cebolleta
- 1 diente de ajo
- 1 ramillete de menta
- vinagre de jerez
- 3 hojas de gelatina
- pimienta
- sal

Para el tzatziki:

- 1 diente de ajo
- 1 pepino
- 1 yogur griego
- 1 cucharada de menta picada
- sal

Trituramos las galletas cracker. Fundimos en un cazo la mantequilla con el zumo de limón y añadimos las galletas trituradas. Con esta mezcla cubrimos un molde engrasado y enharinado, ayudándonos con los dedos. Dejamos reposar en la nevera 2 horas.

Picamos los pepinillos, la cebolleta, el ajo y la menta, y mezclamos con 2 yogures y un chorrito de vinagre. Salpimentamos y colocamos el relleno en el molde que teníamos enfriando.

Hidratamos la gelatina y la mezclamos bien con 1 yogur, y la colocamos sobre la tarta. Dejamos enfriar en la nevera durante 2 horas o hasta que cuaje.

Para el tzatziki, picamos el pepino y el ajo, y mezclamos con la menta y el otro yogur, más una pizca de sal.

Servimos la costrada acompañada con el tzatziki.

Empanadillas paraguayas

Para la masa:
- 80 g de harina fina de maíz
- 120 g de harina
- 80 g de mantequilla
- 1 yema de huevo
- 2 cucharadas de agua
- sal

Para el relleno:
- 200 g de carne de ternera picada
- 1 cucharada de harina
- 50 g de beicon picado
- 2 cebollas
- ½ vaso de vino blanco seco
- 4 tomates picados
- orégano
- tomillo
- 1 cebolleta
- 1 puñado de aceitunas verdes sin hueso
- 2 huevos duros
- aceite de oliva
- sal

Primero mezclamos las harinas y la sal en un cuenco. Añadimos la mantequilla fría y la yema. Vertemos el agua y trabajamos con los dedos. Hacemos una bola y dejamos reposar 1 hora en un sitio fresco.

Pochamos la cebolla, añadimos la carne y el beicon, y cuando la carne esté blanquecina espolvoreamos la harina. Incorporamos el vino blanco para desglasar. Removemos y añadimos los tomates en trocitos, el orégano y el tomillo. Dejamos enfriar.

Añadimos la cebolleta picada, los huevos duros picados y las aceitunas en trocitos. Ponemos a punto de sal.

Estiramos la masa sobre una superficie enharinada y cortamos discos de unos 10 cm de diámetro. Ponemos en cada uno 2 cucharadas de la mezcla anterior, humedecemos los bordes y cerramos las empanadillas.

Las pintamos con huevo y las horneamos a 180 °C durante 45 minutos, y las servimos.

Canutillos de hierbas

- 8 obleas de empanada
- 200 g de queso blanco o fresco
- 100 g de huevas de trucha
- 1 ramillete de cebollino
- 1 ramillete de perifollo
- pimienta
- sal

Estiramos muy bien las obleas y las enrollamos alrededor de tubos o moldes de canutillos.

Introducimos en el horno a 200 °C durante 20 minutos.

Dejamos enfriar.

Picamos el cebollino y el perifollo, y mezclamos con el queso blanco.

Rellenamos los canutillos con la ayuda de una manga pastelera.

Terminamos de rellenar con las huevas de trucha.

Servimos.

Tarta de pollo

Para la masa:
- 450 g de harina
- 75 g de mantequilla
- 7 cucharadas de manteca de cerdo
- 2 yemas
- 100 ml de agua fría
- 1 cucharada de levadura en polvo
- sal

Para el relleno:
- 1 pollo
- 2 cebollas
- 2 zanahorias
- 1 diente de ajo
- 1 vaso de vino blanco
- 100 g de pasas remojadas
- 100 g de almendras tostadas
- aceite de oliva

Para preparar la masa, mezclamos la harina con la mantequilla, la manteca, las yemas, el agua, la levadura y una pizca de sal. Amasamos y dejamos reposar 30 minutos.

Mientras tanto, pelamos y picamos las cebollas, las zanahorias y el ajo.

En una cazuela doramos el pollo con un poco de aceite. Añadimos las verduras picadas y rociamos con el vino blanco. Salpimentamos. Dejamos cocer durante 45 minutos, tapado.

Transcurrido ese tiempo, retiramos el pollo, dejamos enfriar, lo deshuesamos y troceamos.

Colamos la salsa e incorporamos las pasas y las almendras tostadas.

Aparte, dividimos la masa en dos y la estiramos sobre una superficie enharinada.

Colocamos una mitad de la masa sobre una fuente de horno forrada con papel sulfurizado. Rellenamos con el pollo troceado y la salsa. Cubrimos con la otra mitad de la masa, horneamos a 180 °C durante 45 minutos y servimos.

Tartaletas de champiñones

- 2 tartaletas medianas de masa quebrada precocidas
- 500 g de champiñones
- 500 ml de nata líquida
- 100 g de queso gruyère rallado
- 2 huevos
- pimienta
- sal

Primero limpiamos y cortamos los champiñones en láminas.

En un cazo, ponemos a cocer los champiñones con la nata unos 10 minutos. Salpimentamos.

Seguidamente, retiramos los champiñones y los colocamos sobre las tartaletas.

Mezclamos la nata de la cocción, ya tibia, con los huevos batidos. La nata no debe estar caliente ya que, de lo contrario, al añadir los huevos batidos se cuajarían.

Cubrimos las tartaletas con la mezcla de nata y huevo.

Espolvoreamos el queso gruyère y horneamos a 200 °C durante 20 minutos.

Servimos las tartaletas de champiñones calientes.

Tartaletas de cebolla

- 2 tartaletas medianas de masa quebrada precocidas
- 750 g de cebolla
- 100 g de mantequilla
- 250 ml de nata
- 2 huevos
- 75 g de queso gruyère rallado
- pimienta
- sal

Pelamos y picamos muy finas las cebollas.

A continuación, rehogamos las cebollas en una cazuela con mantequilla a fuego suave hasta que estén transparentes.

Mientras, mezclamos la nata con los huevos batidos.

Cuando la cebolla esté lista, la añadimos a la mezcla anterior y salpimentamos.

Seguidamente rellenamos las tartaletas y cubrimos con queso gruyère.

Por último, horneamos a 200 °C durante 20 minutos.

Servimos las tartaletas de cebolla templadas.

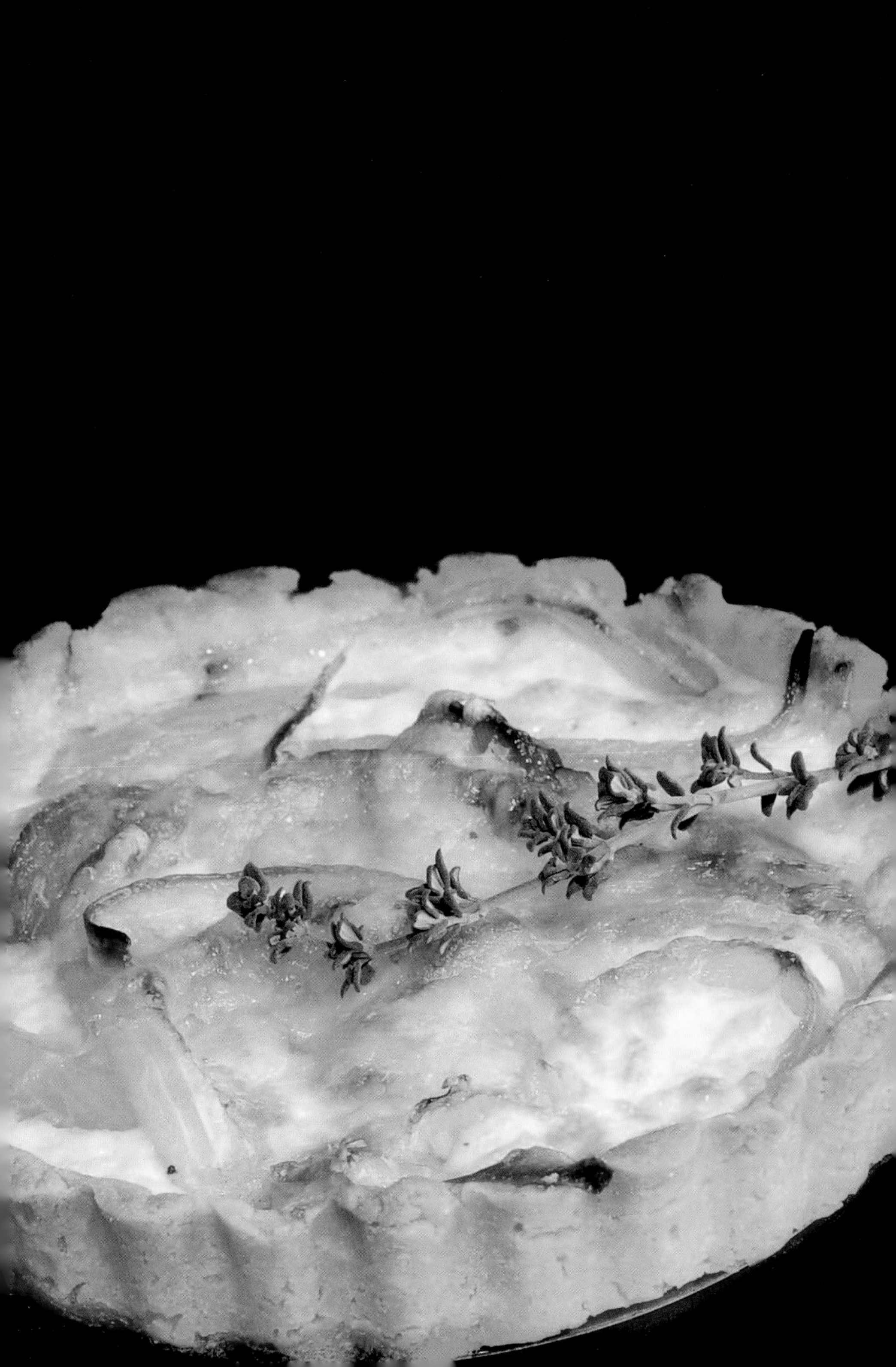

Torta pascualina

- 500 g de masa de hojaldre
- 1 calabacín
- 500 g de espinacas
- 150 g de guisantes
- 150 g de habas
- 4 alcachofas guisadas
- 1 huevo
- 100 g de queso parmesano rallado
- 8 huevos de codorniz
- aceite de oliva

Primero lavamos las acelgas, y las cocemos con agua hirviendo y sal durante 10 minutos. Luego las escurrimos muy bien y las picamos.

Lavamos el calabacín y lo troceamos. En una sartén con un chorrito de aceite, lo rehogamos unos minutos y añadimos las acelgas, las habas, las alcachofas y los guisantes.

Espolvoreamos el queso sobre las verduras.

A continuación, estiramos la masa y la dividimos en dos. Colocamos una mitad sobre un molde forrado con papel sulfurizado, cubriendo los laterales.

Rellenamos con las verduras rehogadas y los huevos de codorniz cascados.

Cubrimos con la otra mitad de la masa de hojaldre.

Por último, pintamos con huevo batido y hacemos un agujero en el centro de la masa para que no se rompa durante la cocción.

Horneamos durante 45 minutos a 180 °C.

Desmoldamos, dejamos enfriar y servimos.

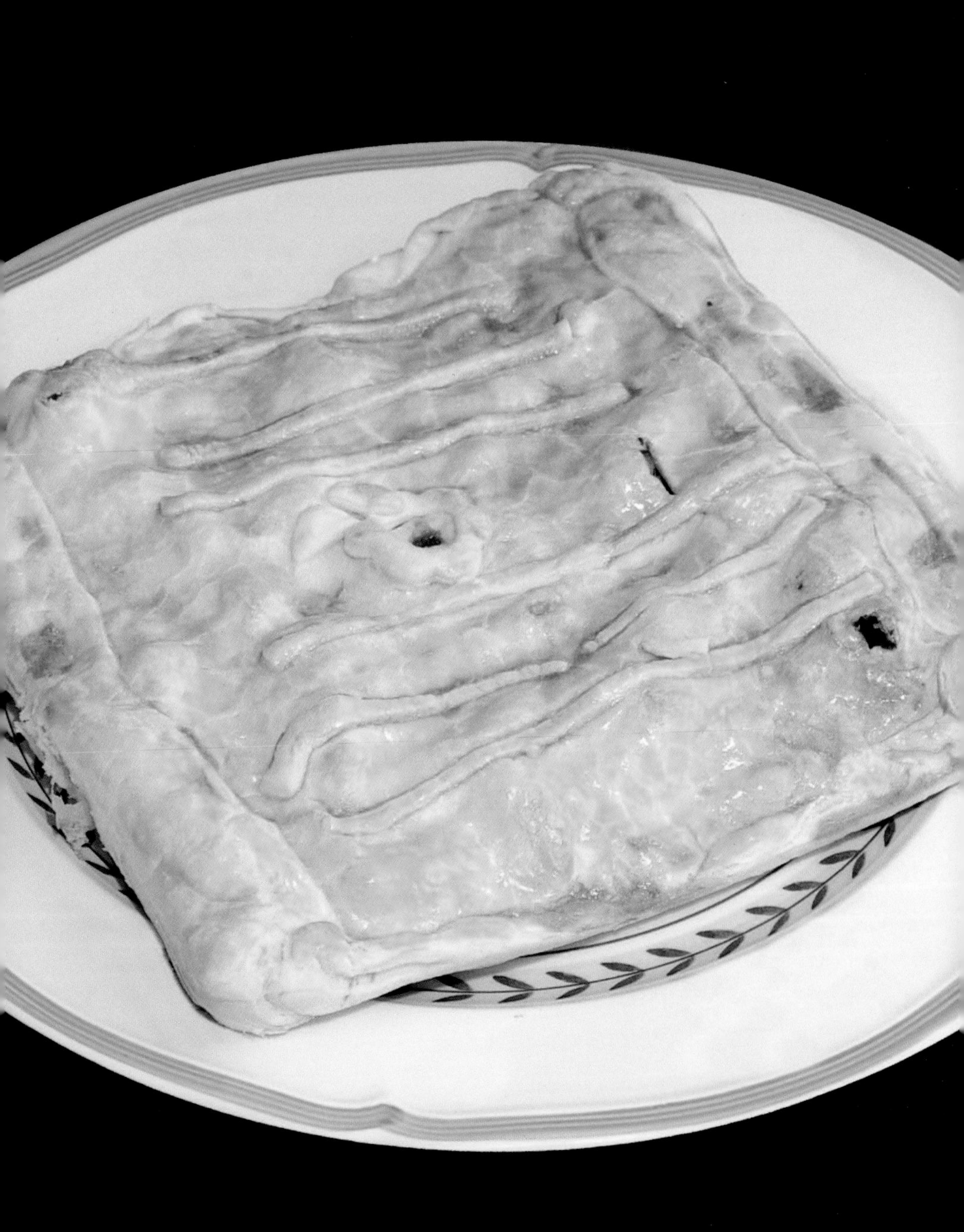

Paté en costra

Para la masa:

- 250 g de harina
- 100 g de manteca de cerdo
- 100 ml de agua
- sal

Para el relleno:

- 200 g de pechuga de pollo picada
- 4 chalotas
- 100 g de beicon picado
- 100 g de foie mi-cuit
- 100 g de foie fresco
- 200 ml de vino blanco
- 100 ml de nata líquida
- 5 bayas de enebro machacadas
- 150 ml de coñac
- pimienta
- sal

Para la masa, mezclamos la harina con la sal, la manteca y el agua. Amasamos bien y dejamos reposar 30 minutos.

Mientras, picamos las chalotas y mezclamos con el beicon, el pollo, el foie fresco, el coñac, el vino y el enebro.

Dejamos marinar tapado durante 2 horas.

Transcurrido ese tiempo, escurrimos y añadimos el foie mi-cuit y la nata.

Con ayuda de un rodillo estiramos la masa sobre una superficie enharinada, dejándola fina. Le damos forma de rectángulo. Colocamos sobre un molde rectangular forrado con papel sulfurizado de tal forma que sobresalga la masa por los laterales para poder cubrir el relleno.

Rellenamos con la carne marinada y cubrimos con la masa de los laterales.

Horneamos a 200 °C durante 1 hora.

Servimos.

Bizcochuelo de Buenos Aires

Para la masa:
- 6 huevos
- 100 g de azúcar
- 100 g de harina
- 100 g de mantequilla
- 15 g de levadura en polvo

Para el relleno:
- 1 lata de atún
- 100 g de aceitunas verdes sin hueso
- 2 huevos duros
- 6 pepinillos
- 1 cucharada de mostaza
- 200 g de lechuga
- 3 cucharadas de mayonesa

Primero separamos las claras de las yemas.

Batimos el azúcar con las yemas y añadimos suavemente la harina y la levadura en forma envolvente. Agregamos después la mantequilla derretida removiendo con cuidado hasta conseguir una crema suave.

Aparte, montamos las claras a punto de nieve y las mezclamos cuidadosamente con el preparado anterior. Forramos una bandeja de horno plana con papel sulfurizado y extendemos la masa de forma que quede bien repartida.

Horneamos a 180 °C durante 15 minutos.

Mientras, picamos el atún, las aceitunas, los huevos duros, los pepinillos y la lechuga. Mezclamos todo con la mayonesa y la mostaza, extendemos este relleno sobre la masa y la enrollamos.

Dejamos enfriar 1 hora el bizcochuelo y lo servimos cortado en rodajas.

AMASA + MASAS DULCES

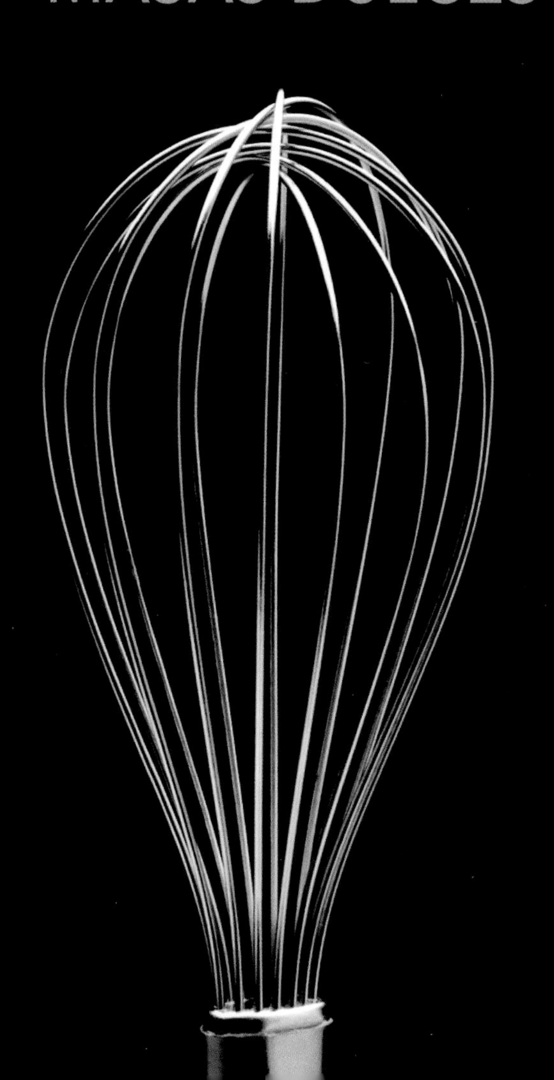

Clafoutis de melocotones

Para la masa quebrada:

- 250 g de harina
- 125 g de mantequilla
- 1 yema
- 100 ml de agua
- 1 cucharada de azúcar
- sal

Para el relleno:

- 500 g de melocotones en almíbar
- 150 ml de leche
- 100 ml de nata
- 1 vaina de vainilla
- 4 huevos
- 150 g de azúcar

Primero mezclamos la harina con la mantequilla, la yema, el agua, la sal y el azúcar.

Hacemos una bola y dejamos reposar 30 minutos en la nevera.

Sobre una superficie enharinada, extendemos la masa con el rodillo y la colocamos sobre un molde untado con mantequilla, apretando las esquinas para que quede bien sujeta.

Pinchamos el fondo con un tenedor, cubrimos con papel sulfurizado y ponemos un peso (garbanzos, por ejemplo). Horneamos a 200 °C durante 30 minutos.

Para hacer el relleno, mezclamos la leche, la nata, la vainilla, los huevos y el azúcar.

Colocamos la fruta en el fondo de la tarta, añadimos la mezcla anterior y horneamos a 200 °C unos 25-30 minutos.

Desmoldamos, dejamos enfriar y servimos.

Buñuelos de manzana

- 3 manzanas golden
- 200 g de harina
- 200 g de maicena
- 1 sobre de levadura en polvo
- 300 ml de agua
- aceite de girasol
- azúcar glas

Para el caramelo:

- 100 g de azúcar
- 300 ml de zumo de manzana
- un chorrito de zumo de limón

En un bol, mezclamos la harina con la maicena, la levadura y el agua para hacer la masa de buñuelos.

Cortamos las manzanas con un cortapastas en láminas muy finas.

Ponemos a calentar en una sartén abundante aceite.

Bañamos las láminas de manzana en la masa de buñuelos y las freímos.

Ponemos al fuego el azúcar y una cucharada de agua y removemos para preparar un caramelo dorado.

Retiramos del fuego y, una vez templado, añadimos el zumo de manzana, poco a poco. Por último, añadimos un chorrito de zumo de limón.

Servimos los buñuelos espolvoreados con azúcar glas y unos hilos de caramelo por encima.

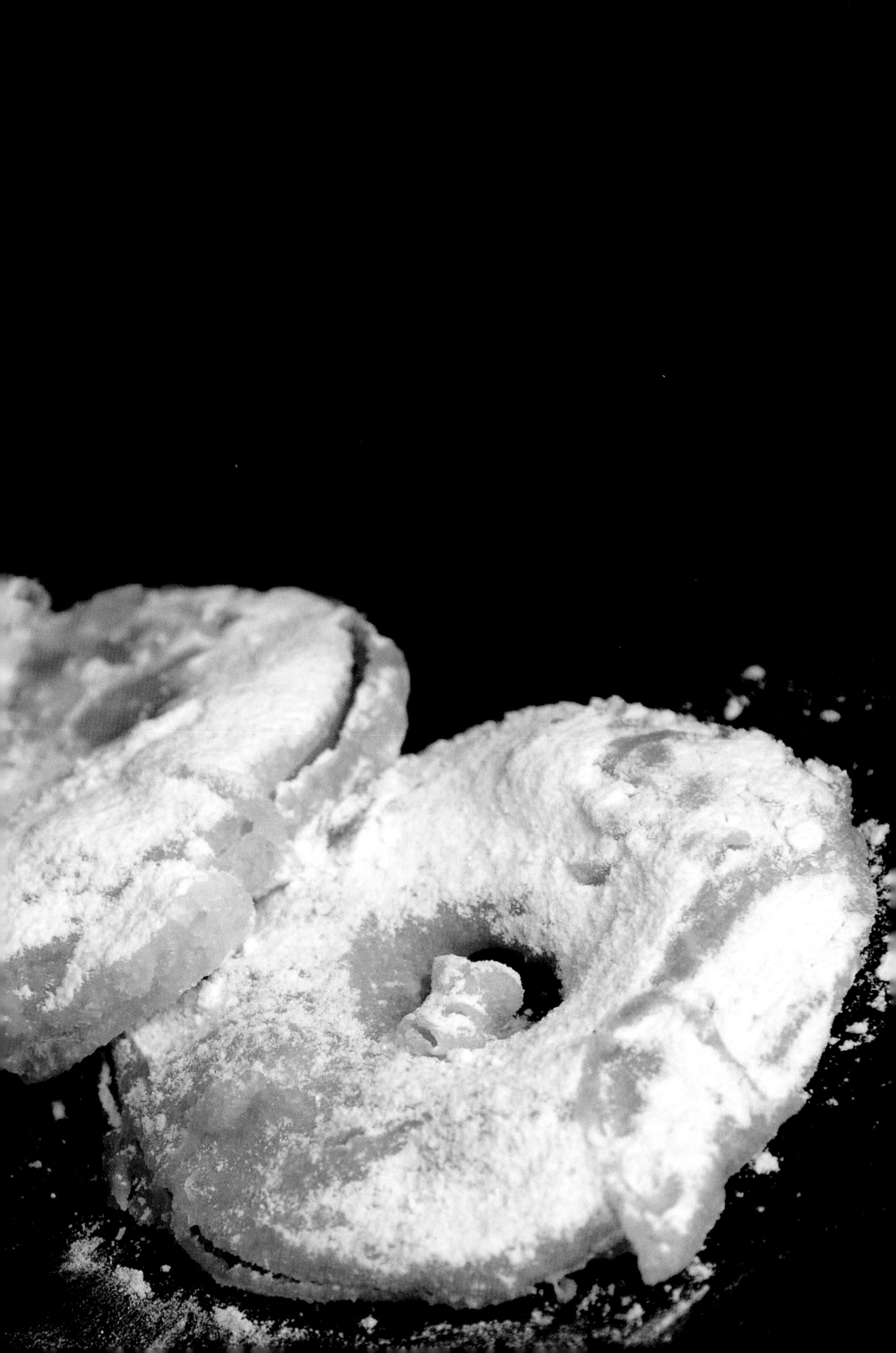

Tarta merengada de lima

- 1 lámina de masa quebrada
- 1 lata de leche condensada
- 100 ml de zumo de lima
- ralladura de 1 lima
- 1 clara de huevo batida a punto de nieve
- 5 claras batidas a punto de nieve
- 250 g de azúcar

En un molde redondo, horneamos la masa quebrada en seco, es decir, sin el relleno.

En un bol, mezclamos la leche condensada con la ralladura y el zumo de lima.

Añadimos la clara batida a punto de nieve con cuidado para que no pierda volumen.

Mezclamos bien y vertemos sobre la masa quebrada.

Para el merengue, montamos las claras a punto de nieve y añadimos poco a poco el azúcar sin dejar de batir.

Disponemos el merengue sobre la crema de lima.

Colocamos la tarta en el horno y cocemos 7-8 minutos, hasta que el merengue quede dorado.

Desmoldamos, dejamos enfriar y servimos.

Rosquillas

- 1 kg de harina
- 3 claras de huevo
- 3 yemas de huevo
- 150 g de azúcar
- el zumo de 1 naranja
- ralladura de 1 naranja
- 1 cucharadita de levadura en polvo
- 70 ml de aceite de girasol
- canela
- azúcar glas
- sal

Batimos con una batidora eléctrica las claras a punto de nieve y agregamos el azúcar.

Añadimos las yemas, el aceite, el zumo y la ralladura de naranja, y la levadura.

Unimos bien e incorporamos la harina poco a poco sin dejar de remover. Si vemos que la masa está muy seca podemos añadir un chorrito de agua.

Dejamos reposar la masa durante 45 minutos.

Transcurrido ese tiempo, con las manos untadas en aceite, formamos rosquillas. Para ello cogemos una bolita de masa, la estiramos, la aplastamos con los dedos y luego la doblamos sobre sí misma. Finalmente unimos los extremos en forma de rosca.

Las freímos en abundante aceite caliente y las escurrimos sobre papel de cocina.

Servimos espolvoreadas con azúcar glas y canela.

Crumble de manzana y arándanos

Para el crumble:
- 200 g de mantequilla
- 200 g de harina
- 200 g de azúcar
- flor de sal
- 1 cucharadita de canela

Para el relleno:
- 4 manzanas reinetas
- 100 g de azúcar
- 100 g de mantequilla
- 50 g de pasas hidratadas
- 50 g de arándanos
- 100 ml de ron
- 1 cucharada de canela
- 1 vaina de vainilla

Primero preparamos el crumble. Trabajamos con las manos, frotando, la mantequilla con la harina, el azúcar, una pizca de sal y la canela hasta obtener unas migas gordas. Reservamos.

Cortamos las manzanas en rodajas finas y las caramelizamos en una sartén con la mantequilla y el azúcar.

Colocamos sobre una fuente de horno las manzanas caramelizadas.

Añadimos las pasas, los arándanos, la canela, el ron y la vainilla.

Cubrimos con el crumble.

Cocemos a 180 °C durante 30 minutos.

Servimos.

Empanadillas de queso y mermelada de manzana

Para 8 discos de empanadillas:

- 250 g de harina
- 70 ml de agua
- 100 ml de aceite
- 1 chorrito de agua de azahar
- sal

Para el relleno:

- 4 manzanas reinetas
- azúcar
- 200 g de queso de tetilla
- 1 huevo
- agua

En primer lugar, pelamos y cortamos las manzanas en trocitos. Las ponemos en una olla con un poco de agua y las cocemos durante 20 minutos.

Luego las chafamos o las pasamos por el pasapurés.

Una vez hecho el puré de manzanas, ponemos el mismo volumen de azúcar que de puré y llevamos al fuego suave. Dejamos cocer lentamente y dando vueltas hasta obtener una mermelada.

Ponemos la mermelada en un recipiente en la nevera 2 horas o hasta que cuaje.

Mientras tanto, preparamos la masa de las empanadillas. Mezclamos la harina y la sal en un cuenco. Añadimos el aceite, vertemos el agua y añadimos el agua de azahar. Trabajamos con los dedos y hacemos una bola. Dejamos reposar 1 hora en un sitio fresco.

Estiramos la masa sobre una superficie enharinada y cortamos discos de unos 10 cm de diámetro. Colocamos sobre cada disco de masa un trocito de queso y una cucharada de mermelada de manzana.

Humedecemos los bordes, cerramos las empanadillas, cocemos al horno a 180 °C durante 20 minutos y servimos.

Palmeras de chocolate

- 500 g de masa de hojaldre
- 100 g de azúcar

Para la cobertura de chocolate:

- 250 g de azúcar
- 90 ml de agua
- 175 g de chocolate de cobertura

Primero estiramos el hojaldre y espolvoreamos la superficie con azúcar.

Enrollamos la masa hasta la mitad y hacemos lo mismo con la otra mitad.

Cortamos la masa enrollada en trozos de 1 cm más o menos y los colocamos sobre una placa de horno. Espolvoreamos con azúcar glas.

Horneamos a 200 °C durante 20 minutos o hasta que se doren.

Calentamos el chocolate con el agua y el azúcar a fuego suave hasta que se derrita.

Cubrimos las palmeras con la cobertura de chocolate y dejamos enfriar.

Servimos.

Pastas de té

- 250 g de harina
- 200 g de mantequilla
- 100 g de azúcar glas
- 2 yemas de huevo
- flor de sal
- vainilla en polvo

Para la decoración:

- 100 g de mermelada de arándanos
- 8 almendras

Para el glaseado real:

- 1 clara de huevo
- 200 g de azúcar glas

Para el glaseado de cacao:

- 1 clara de huevo
- 170 g de azúcar glas
- 30 g de cacao

Primero mezclamos la mantequilla ablandada con el azúcar y las yemas y removemos bien.

Después incorporamos de una vez la harina mezclada con la sal y la vainilla. Trabajamos hasta formar una masa suave. Dejamos reposar tapada con papel film.

Estiramos la masa sobre una superficie espolvoreada con azúcar glas y la cortamos con cortapastas de diferentes formas y las colocamos sobre una bandeja de horno untada con mantequilla. Horneamos a 180 °C unos 10 minutos o hasta que queden doradas.

Batimos las claras hasta que hagan un poco de espuma y añadimos el azúcar poco a poco hasta que espese y se forme una crema. Ya tenemos lista el glaseado real.

Para el glaseado de cacao, batimos las claras hasta espumar, añadimos el azúcar poco a poco hasta que espese y lo mezclamos con el cacao.

Decoramos algunas de las pastas con las almendras, otras con el glaseado real, otras con el de cacao y otras con la mermelada.

Tarta de birejik

- 1 paquete de pasta filo
- 100 g de mantequilla fundida clarificada
- 450 g de mermelada de cerezas
- 100 g de almendras en polvo
- 200 ml de leche
- 200 ml de yogur griego o nata líquida
- 1 yema de huevo
- pistachos tostados cortados en daditos

En una cacerola pequeña calentamos la leche y añadimos las almendras en polvo. Removemos hasta obtener una crema espesa. Dejamos enfriar.

Añadimos a la leche con almendras el yogur griego o la nata y la yema batida.

Colocamos en un molde untado con mantequilla 3 capas de pasta filo, untadas también con mantequilla entre capa y capa.

Ponemos una capa de mermelada y cubrimos con la crema de almendras. Espolvoreamos los pistachos.

Añadimos el resto de la mermelada. Cubrimos el molde con otras 3 capas de pasta filo untadas con mantequilla entre capa y capa. Horneamos a 180 °C durante 20 minutos.

Desmoldamos, dejamos enfriar y servimos.

Tortitas de toffee y nata

- 250 g de harina
- 250 ml de leche
- 1 huevo
- ½ cucharadita de levadura en polvo
- 25 g de azúcar
- 50 g de mantequilla fundida
- una pizca de flor de sal
- mantequilla para la sartén

Para el toffee:

- 1½ litro de nata
- 300 g de azúcar

Para nata montada:

- 300 g de nata para montar
- 100 g de azúcar glas
- 1 vaina de vainilla

Para las tortitas batimos la leche con el huevo, la levadura, la mantequilla fundida, la sal, el azúcar y la harina.

Untamos una sartén sobre el fuego con mantequilla, echamos una pequeña cantidad de la mezcla para cada tortita y las cocemos por los dos lados.

Para el toffee calentamos el azúcar hasta que caramelice y añadimos la nata caliente. Removemos bien hasta que se hayan eliminado todos los grumos.

Con una batidora eléctrica de varillas, montamos la nata con el azúcar y las semillas de la vaina de vainilla.

Servimos las tortitas acompañadas con el toffe y la nata.

Pastel de kataifi

- 100 g de pistachos tostados y picados
- 100 g de almendra en granillo tostada
- 200 g de mantequilla
- 100 g de azúcar de caña
- 40 ml de agua
- agua de azahar
- 1 paquete de pasta kataifi
- 100 ml de miel

Para preparar el almíbar calentamos el agua con el azúcar bien diluido, 10 ml de miel y el agua de azahar. Dejamos unos 15 minutos hasta que espese y retiramos del fuego.

Aparte, mezclamos la pasta kataifi con los pistachos y la almendra, el resto de la miel y la mantequilla derretida.

Seguidamente, formamos unos nidos pequeños con montoncitos del preparado anterior.

Colocamos sobre una bandeja de horno untada con mantequilla y horneamos a 180 °C durante 10 minutos.

Servimos los pastelitos con el almíbar por encima.

Bollos de canela suecos

- 300 g de masa de hojaldre
- 100 g de mantequilla
- 100 g de azúcar de caña
- 1 cucharada de canela en polvo
- 1 huevo

Sobre una superficie enharinada, estiramos la masa de hojaldre.

Mezclamos la mantequilla fundida con el azúcar de caña y la canela.

Con la ayuda de un pincel de cocina, pintamos el hojaldre con esta mezcla y lo enrollamos en forma de rulo.

Lo cortamos con un cuchillo en discos de unos 2 cm de ancho.

Colocamos las piezas sobre una bandeja de horno cubierta con papel sulfurizado.

Batimos el huevo en un bol y pintamos con él los discos.

Los horneamos a 180 °C durante 30 minutos y los servimos.

Bartolillos

- 8 discos de masa de empanadilla
- 100 g de confitura de cabello de ángel
- 100 g de crema pastelera
- 100 g de arroz con leche
- aceite para freír
- 1 huevo
- azúcar glas

Extendemos los discos de masa sobre una superficie enharinada.

Después disponemos sobre ellos los diferentes rellenos de tal forma que queden tres tipos de bartolillos.

Los doblamos en forma de empanadilla y los sellamos con huevo batido para que al freír no se salga el relleno.

En un cazo o sartén profunda, ponemos a calentar abundante aceite y cuando esté caliente vamos friendo por tandas los bartolillos.

Los escurrimos bien sobre papel absorbente y los servimos espolvoreados con azúcar glas.

Tarta de peras y franchipán

- 1 tarta de hojaldre
  100 g de azúcar
- 100 g de mantequilla
- 1 huevo
- 120 g de almendras en polvo
- 1 chorro de ron
- 1 cucharada de harina

Para las peras en almíbar:

- 6 peras conferencia
- 1 botella de vino blanco
- 180 g de azúcar
- 1 vaina de vainilla

Pelamos las peras y las ponemos a cocer en el vino blanco con el azúcar y la vainilla durante 20 minutos.

Seguidamente, escurrimos, fileteamos las peras y las reservamos.

Preparamos el franchipán en un bol mezclando el azúcar con la mantequilla. Incorporamos el huevo, las almendras, la cucharada de harina y el ron. Removemos para integrar bien los ingredientes.

Colocamos el franchipán sobre la tarta de hojaldre y añadimos las peras fileteadas por encima.

Por último, horneamos unos 40 minutos a 180 °C.

La desmoldamos cuando esté fría y servimos.

Pastela de crema y almendras

- 10 hojas de masa brick
- aceite de girasol
- azúcar glas para decorar
- 250 g de almendras tostadas
- 300 ml de nata para montar
- 50 g de azúcar glas

Para la crema pastelera:

- 500 ml de leche
- 6 yemas
- 125 g de azúcar
- 1 cucharada de maicena
- 1 vaina de vainilla

En una sartén con abundante aceite de girasol, freímos las hojas de brick.

Escurrimos el aceite y espolvoreamos con azúcar glas.

En un cazo, calentamos la leche con la vaina de vainilla y la dejamos infusionar entre 10-15 minutos y la colamos.

En un bol, batimos con un batidor de varillas las yemas con el azúcar y la maicena.

Añadimos poco a poco la leche templada sin dejar de remover.

Seguidamente, volcamos el preparado en un cazo y lo llevamos al fuego.

Lo mantenemos durante 5 minutos a fuego medio bajo sin dejar de remover para que espese.

Cuando esté lista la crema pastelera, la dejamos enfriar.

Aparte, montamos la nata y añadimos 50 g de azúcar glas.

Finalmente, presentamos el postre alternando una hoja de brick, crema pastelera, un puñado de almendras tostadas, una hoja de brick, nata montada y almendras tostadas. Repetimos la operación hasta finalizar con todos los ingredientes.

Servimos espolvoreado con azúcar glas inmediatamente para evitar que la masa brick pierda el crujiente.

Tartaletas marmoladas a los dos chocolates

- 8 tartaletas pequeñas de masa quebrada precocida
- 120 g de chocolate blanco
- 225 g de chocolate negro
- 70 g de azúcar
- 500 ml de nata

Para la crema inglesa a la menta:

- 500 ml de leche
- 120 g de azúcar
- 6 yemas
- 1 ramillete de menta

Primero preparamos el relleno de chocolate. Fundimos el chocolate negro con el azúcar al baño María. Añadimos 400 ml de nata, removemos y dejamos espesar, siempre al baño María.

Por otro lado, fundimos el chocolate blanco de igual forma. Añadimos 100 ml de nata, mezclamos y dejamos espesar.

Colocamos sobre las tartaletas el chocolate negro y el chocolate blanco. Con ayuda de un cuchillo mezclamos formando dibujos.

Dejamos enfriar.

Para la crema inglesa, batimos las yemas en un bol con el azúcar hasta que adquieran un color blanquecino. Cocemos la leche y la menta hasta que hierva. Retiramos del fuego y dejamos infusionar duante 10 minutos. Retiramos las hojas de menta y la mezclamos con las yemas batidas. Removemos todo y lo llevamos al fuego para que la crema cueza lentamente sin que llegue a hervir.

La dejamos enfriar en la nevera.

Servimos las tartaletas de dos chocolates decoradas con hojas de menta y acompañadas de la crema inglesa a la menta.

Tarta Linzer

Para la masa quebrada de almendra:
- 575 g de harina
- 250 g de mantequilla
- 175 g de almendras molidas
- 175 g de azúcar glas
- 4 huevos
- sal

Para el relleno:
- 1 paquete de arándanos
- 1 paquete de frambuesas
- el zumo de ½ limón
- 200 g de azúcar
- 2 yemas
- 1 cucharadita de canela
- 200 ml de nata espesa
- sal

Para hacer la masa, mezclamos la almendra molida con el azúcar, 175 g de harina, la mantequilla, la sal y los huevos.

Una vez mezclados, añadimos los 400 g restantes de harina.

Amasamos bien y dejamos reposar durante 30 minutos.

Estiramos la masa y colocamos ⅔ partes de la misma sobre un molde engrasado y enharinado.

Para el relleno, mezclamos las frutas con el azúcar, la canela y el zumo de limón. Cocemos hasta hacer una mermelada.

Fuera del fuego, añadimos las yemas batidas y la nata. Mezclamos todo bien.

Ponemos de nuevo al fuego y cocinamos durante 10 minutos más a fuego lento. Rellenamos la masa con esta mezcla.

Estiramos el resto de la masa, cortamos tiras largas y finas y las colocamos sobre la tarta en forma de reja.

Pintamos con huevo y horneamos durante 30 minutos a 180 °C. Servimos.

AMASA +
LA VIDA ES DULCE

Arroz con leche de coco

- 100 g de arroz
- 400 ml de agua
- 3 melocotones
- 20 g de azúcar
- 500 ml de leche de coco
- 200 ml de nata líquida

Primero escaldamos el arroz en agua hirviendo y lo colamos.

Lo ponemos en un bol al fuego con el agua y vamos añadiendo poco a poco la leche de coco.

Cuando el arroz esté hecho, añadimos la nata fuera del fuego.

Por otro lado, troceamos los melocotones.

Servimos el arroz, ponemos encima el melocotón, espolvoreamos el azúcar glas y lo quemamos.

Galletas de parmesano y azúcar moreno

- 200 g de mantequilla
- 120 g de queso parmesano rallado
- 1 cucharada de levadura en polvo
- 2 yemas
- una pizca de sal
- pimienta
- 280 g de harina

Para espolvorear:

- 50 g de queso gruyère rallado
- 100 g de azúcar moreno

Mezclamos poco a poco todos los ingredientes en el orden en que figuran.

Reservamos en la nevera 20 minutos.

Amasamos entre dos silpat, o papeles de hornear, y cortamos la masa con un cortapastas.

Colocamos en una bandeja de horno sobre papel sulfurizado.

Espolvoreamos con el azúcar moreno y el queso gruyère rallado. Precalentamos el horno a 160 °C y cocemos hasta que las galletas estén doradas.

Dejamos reposar hasta que se enfríen y servimos.

Baklava

- 1 Paquete de pasta filo
- 200 g de pistachos picados o almendras
- 100 g de azúcar de caña
- 1 cucharada de canela molida
- 1 cucharada de agua de azahar
- 2 cucharadas de agua de rosas
- 200 g de mantequilla derretida

Para el jarabe de azúcar:

- 350 g de azúcar de caña
- 150 ml de agua
- 1 cucharada de zumo de limón
- 1 cucharada de agua de rosas
- 1 cucharada de agua de azahar

Primero trituramos las nueces y añadimos el azúcar, la canela, el agua de azahar, el agua de rosas y una cuharada de mantequilla derretida. Mezclamos todo bien.

Para preparar el jarabe de azúcar, hervimos el azúcar de caña junto con el agua y agregamos el zumo de limón, el agua de rosas y el agua de azahar. Dejamos enfriar.

Precalentamos el horno a 200 °C. Untamos una fuente de horno con mantequilla derretida y cubrimos el fondo con una hoja de pasta filo. Pintamos con mantequilla derretida y ponemos otra capa encima. Repetimos esta operación hasta tener seis hojas de pasta filo.

Cubrimos con el relleno de frutos secos y repetimos el procedimiento con otras seis capas, bien pintadas cada una con mantequilla, incluida la última capa.

Con un cuchillo, hacemos unos cortes en la superficie en forma de rombos y horneamos 20 minutos hasta que esté dorado.

Una vez que el baklava esté dorado, bañamos la superficie con el jarabe frío.

Servimos a temperatura ambiente.

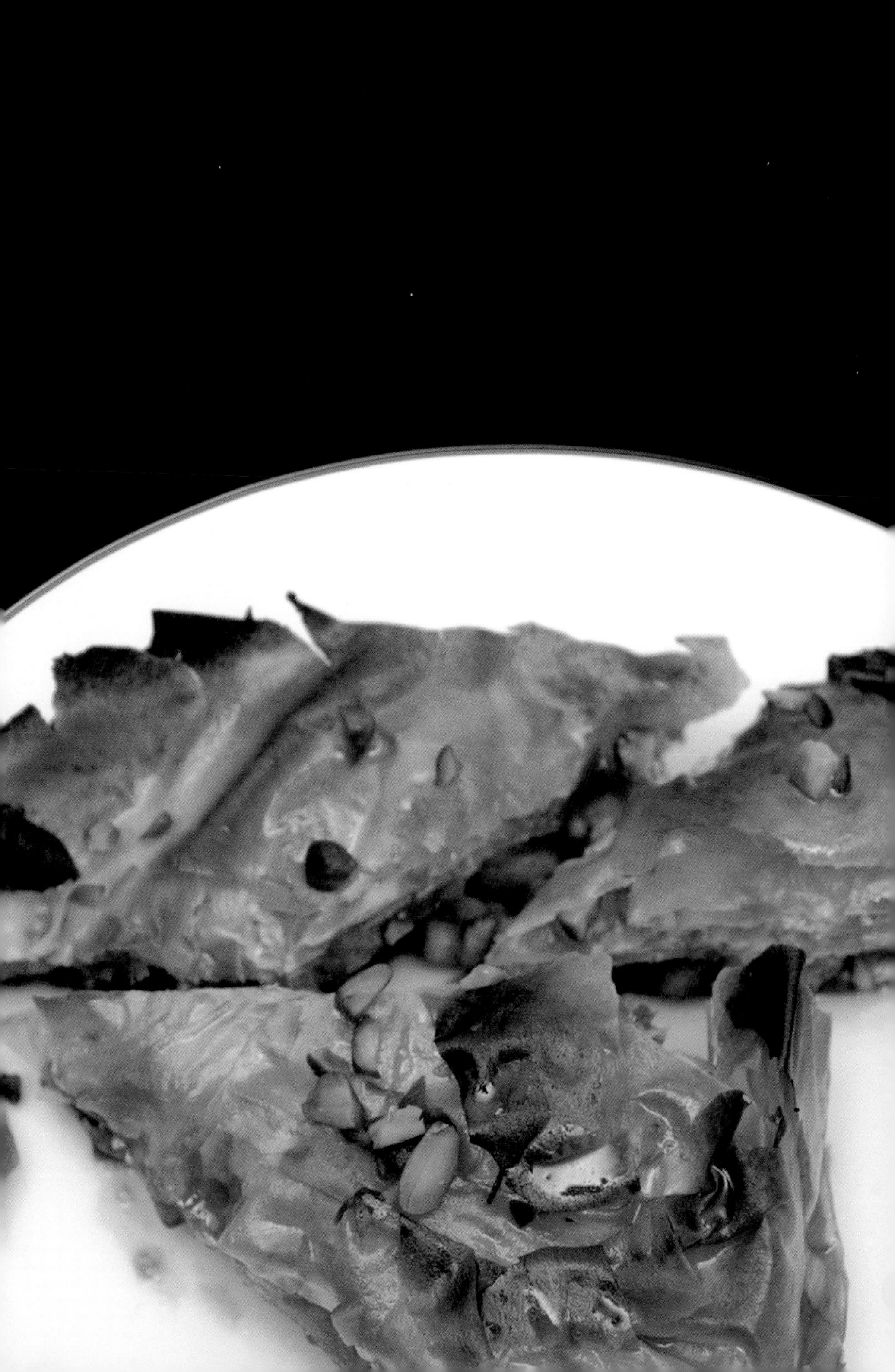

Pannacota de distintos sabores

- 1½ litro de nata
- 240 g de azúcar
- 6 hojas de gelatina
- 1 vaina de vainilla

Sirope de menta:
- 300 g de azúcar
- 200 ml de agua
- 1 copita de licor de menta

Sirope de fresa:
- 300 g de fresas
- 300 g de azúcar

Sirope de café:
- 300 g de azúcar
- 200 ml de agua
- café soluble

Primero ponemos en remojo las hojas de gelatina.

Calentamos la nata con el azúcar y la vainilla y disolvemos en ella las hojas de gelatina. Colocamos la mezcla en vasitos y dejamos enfriar

Ponemos tres vasitos pequeños, como de chupito, por persona. Una vez que la pannacota haya cuajado, la cubrimos de sirope.

Para el sirope de menta, hervimos el agua con el azúcar hasta obtener un caramelo. Retiramos del fuego y añadimos el licor de menta. Dejamos enfriar.

Para preparar el sirope de fresas, ponemos al baño María las fresas y el azúcar. Cuando las frutas hayan soltado todo su jugo, colamos a través de un paño o estameña. Rectificamos el azúcar.

Por último, hacemos el sirope de café hirviendo el agua con el azúcar para obtener un caramelo. Añadimos el café y mantenemos la cocción hasta que haya tomado color.

Financiers

- 150 g de azúcar glas
- 60 g de harina
- 80 g de almendras en polvo
- 3 claras de huevo
- 140 g de mantequilla

Precalentamos el horno a 180 °C.

Mezclamos en un bol el azúcar, la harina y las almendras en polvo.

Fundimos la mantequilla y la dejamos enfriar.

Batimos las claras hasta que queden bien fluidas y homogéneas, pero sin llegar a punto de nieve.

Mezclamos las claras con la harina con cuidado, con movimientos envolventes. Sin dejar de remover, añadimos por último la mantequilla fundida.

Vertemos la mezcla en moldes untados previamente con mantequilla y horneamos a 220 °C durante 15-20 minutos.

Se pueden glasear con azúcar glas y zumo de limón para que se mantengan frescos y jugosos por más tiempo.

Gelatina al cava

- 1 botella de cava de 750 ml
- 500 g de azúcar
- 14 hojas de gelatina
- 750 g de frutas (fresas, grosellas, frambuesas, melocotones, albaricoques, etc.)

Para la salsa de frambuesas:

- 100 ml de agua
- 100 g de azúcar
- 100 g de frambuesas

Primero cortamos las frutas en trozos. Remojamos las hojas de gelatina durante 10 minutos. Calentamos la mitad del cava con el azúcar.

Añadimos las hojas de gelatina y mezclamos con el resto del cava.

Ponemos un poco de gelatina en un molde con forma de corona y dejamos que cuaje un poco. Colocamos encima parte de las frutas y la ponemos en la nevera para que cuaje. Vamos añadiendo frutas y la mezcla de cava, azúcar y gelatina hasta llenar el molde.

Dejamos reposar en la nevera arededor de 3-4 horas hasta que se solidifique.

Para servir, desmoldamos colocando el molde un momento en agua caliente. La cortamos en lonchas y colocamos una en cada plato y las decoramos con un hilito de salsa de frambuesas.

Gratinado de limón

- 150 ml de zumo de limón
- 100 ml de nata
- 5 yemas
- 40 g de azúcar
- 20 g de harina
- 2 hojas de gelatina

Para el merengue italiano:

- 5 claras de huevo
- 250 g de azúcar
- unas gotas de agua

Para la mantequilla de naranja:

- 200 ml de zumo de naranja
- 100 g de azúcar
- 80 g de mantequilla
- Frambuesas o fresitas para acompañar

Para el merengue italiano, ponemos el azúcar con el agua al fuego y la dejamos hasta que se haga un almíbar.

Mientras tanto, montamos las claras a punto de nieve.

Vertemos el almíbar hirviendo en forma de hilo sobre las claras montadas y continuamos batiendo hasta que se enfríe, para obtener un merengue brillante y esponjoso.

Aparte, batimos las yemas con el azúcar hasta que adquieran un color blanquecino. Luego añadimos la harina y mezclamos con movimientos envolventes. Hervimos el zumo de limón con la nata. Retiramos del fuego y mezclamos con las yemas batidas. Removemos todo bien y llevamos al fuego nuevamente para hacer una crema inglesa. La crema debe cocerse lentamente sin llegar a hervir. Añadimos las hojas de gelatina.

Mezclamos esta crema con el merengue italiano. La colocamos en aros y la dejamos enfriar 2 horas en la nevera.

Para preparar la mantequilla de naranja, hervimos el zumo de naranja con el azúcar. Removemos bien y lo retiramos del fuego. Añadimos la mantequilla sin dejar de batir.

Servimos el gratinado de limón con un poco de azúcar glas por encima, que quemaremos con un soplete. Acompañamos con la mantequilla de naranja y unas frambuesas o fresitas.

Tarta chajá de dulce de leche

Para el bizcocho:
- 8 huevos
- 250 g de azúcar
- 250 g de harina
- 50 g de mantequilla derretida

Para los discos de merengue:
- 6 claras de huevo
- 175 g de azúcar
- 175 g de azúcar glas
- azúcar glas para espolvorear
- 1 bote de dulce de leche
- 500 ml de nata montada poco azucarada

Para el bizcocho, batimos los huevos con el azúcar al baño María hasta alcanzar una temperatura de 40 °C. Dejamos enfriar sin cesar de batir. Incorporamos la harina y la mantequilla derretida removiendo con cuidado para obtener una masa suave.

Precalentamos el horno. Vertemos la masa en un molde redondo untado con mantequilla y horneamos durante 30 minutos a 180 °C.

Para los discos de merengue, montamos las claras a punto de nieve y sin dejar de batir, añadimos el azúcar. Seguimos batiendo durante otros 5 minutos. Sobre una bandeja de horno forrada con papel sulfurizado, y con ayuda de una manga pastelera formamos discos de merengue del mismo tamaño que el molde que hemos utilizado para el bizcocho. Además formamos unos palitos de merengue o discos pequeños.

Espolvoreamos con azúcar glas e introducimos en el horno a 150 °C durante 1 hora y media. Dejamos enfriar.

Para montar la tarta chajá cortamos el bizcocho en dos. Colocamos una base redonda de bizcocho y encima, ayudándonos con una manga pastelera, ponemos una capa de dulce de leche. Arriba ponemos un disco de merengue del mismo tamaño que el bizcocho y lo cubrimos con nata montada. A continuación colocamos otra capa de bizcocho con dulce de leche y cubrimos toda la tarta con nata montada.

Rompemos los palitos de merengue o los pequeños discos y cubrimos la tarta con los trozos.

Cookies de chocolate

- 450 g de mantequilla pomada
- 725 g de azúcar
- 15 g de sal
- 4 huevos
- 675 g de harina
- 360 g de nueces picadas no muy finamente
- 310 g de chocolate negro
- 310 g de chocolate blanco

Primero batimos la mantequilla y la sal hasta que quede cremosa. Añadimos el azúcar y seguimos batiendo. Incorporamos la harina removiendo cuidadosamente para unificar la preparación. Incorporamos los huevos, y por último añadimos las nueces picadas y el chocolate en trozos pequeños.

Hacemos rollitos de unos 4 cm de diámetro y dejamos enfriar en la nevera.

Precalentamos el horno.

Cortamos la masa en rodajas de 1 cm aproximadamente.

Colocamos las rodajas sobre una bandeja de horno y cocinamos a 200 °C entre 8-10 minutos, sin dejar que se doren. Dejamos enfriar sobre una rejilla.

Helado de San Isidro

- 500 ml de leche
- 500 ml de nata montada
- 6 huevos
- 350 g de azucarillos
- frutos rojos
- mermelada de fresa

Para la salsa de fresones:

- 500 g de fresones
- 400 g de azúcar

Para el helado, hervimos la leche con el azúcar y añadimos las yemas. Lo montamos.

Montamos también la nata y la mezclamos con la crema.

Dividimos la mezcla en dos boles. En el más grande, ponemos la mermelada de fresa y la congelamos. Cuando se haya congelado, añadimos la crema y lo volvemos a congelar.

Para la salsa, lavamos y cortamos los fresones. Los colocamos con el azúcar, cubierto con un film al baño María para que suelten el jugo, durante unos 45 minutos. Lo colamos. Servimos el helado con unos hilos de la salsa de fresones y decorado con los frutos rojos.

Peras en hojaldre con salsa malagueña

- 4 peras conferencia grandes
- 500 g de masa de hojaldre 150 g de mantequilla
- 2 cucharadas de canela en polvo
- 5 cucharadas de azúcar moreno

Para la salsa malagueña:

- 500 ml de vino moscatel
- 1 rama de canela
- 3 anises estrellados

Comenzamos por fundir la mantequilla y añadir la canela. Espolvoreamos con el azúcar.

Pelamos las peras con cuidado de no quitarles el rabito.

Estiramos la masa de hojaldre y cortamos en triángulos del tamaño suficiente para cubrir las peras.

Envolvemos cada pera con la masa, y unimos bien los bordes con huevo. Pintamos la masa con huevo y si es posible, cortamos unas hojas de masa para decorar las peras. Dejamos enfriar en la nevera.

En el momento de hacerlas, volvemos a pintar con huevo e introducimos en el horno a 180 °C. Cocemos las peras en hojaldre entre 20-25 minutos.

Para preparar la salsa, ponemos al fuego el vino moscatel junto con las especias. Dejamos reducir a la tercera parte.

Servimos las peras acompañadas con la salsa.

Postre de queso

- 4 yemas de huevo
- 200 g de azúcar
- 250 ml de leche
- 500 g de queso cremoso
- 500 g de nata semimontada
- 7 hojas de gelatina

Para los fideos dulces:

- 100 g de mantequilla
- 4 claras de huevo
- 100 g de harina
- 100 g de azúcar glas

Para la salsa de frambuesas:

- frambuesas
- mermelada de fresa

Para la mousse hacemos una crema inglesa. Ponemos a hervir la leche. Mientras, batimos las yemas de huevo con el azúcar. Añadimos la leche a las yemas y las volvemos a poner al fuego. Removemos y las retiramos del fuego. Incorporamos las hojas de gelatina hidratadas.

Incorporamos el queso y dejamos que se tiemple para añadir la nata. Rellenamos unos moldes individuales y los dejamos unas 2 horas.

Para la salsa de frambuesas, batimos las frambuesas y la mermelada de fresa y, si queda muy espesa, le podemos añadir un poco de zumo de limón.

Hacemos también una masa con la mantequilla a punto de pomada, azúcar glas, harina y las claras a partes iguales. Sobre un silpat, hacemos una capa muy fina con esta masa para hacer unos fideos con la ayuda de un peine de púas.

Horneamos a 200 °C hasta que estén dorados.

Servimos el postre de queso con los fideos y la salsa de frambuesas.

Tarta imperial de chocolate

- 250 g de chocolate
- 250 g de mantequilla
- 200 g de azúcar
- 4 huevos y 2 yemas
- 80 g de harina
- mantequilla para untar el molde

Para el glaseado:

- 125 g de chocolate fundido con un poco de leche

Untamos un molde redondo con mantequilla, recubrimos la base con papel sulfurizado pintado de mantequilla. Precalentamos el horno.

Derretimos el chocolate en el microondas con la mantequilla durante 3 minutos al 25 % de potencia.

Aparte, batimos el azúcar con los huevos más las yemas y añadimos la harina y mezclamos con movimientos envolventes.

Mezclamos el chocolate con la preparación anterior, la ponemos en el molde y la horneamos al baño María a 180 °C unos 20 minutos. La tarta debe quedar un poco blanda en el centro.

Guardamos la tarta en la nevera para que se enfríe bien.

Desmoldamos sobre una fuente y cubrimos con el glaseado.

Tarta de limón y merengue

Para la masa quebrada:

- 250 g de harina
- 250 g de mantequilla a temperatura ambiente
- 75 g de azúcar
- 1 cucharadita de sal
- 1 huevo batido

Para la crema de limón:

- 4 huevos enteros
- 240 g de azúcar
- la ralladura de 3 limones
- 160 ml de zumo de limón
- 300 g de mantequilla

Para el merengue italiano:

- 4 claras de huevo
- 280 g de azúcar

Para la masa quebrada, trabajamos con los dedos todos los ingredientes menos el huevo para formar migas gordas. Una vez mezclados, añadimos el huevo y amasamos. Cubrimos con papel film y dejamos enfriar unos 40 minutos.

Precalentamos el horno. Estiramos la masa sobre una superficie enharinada. Tapizamos con ella un molde de tarta untado con mantequilla y horneamos a 180 °C durante 20 minutos.

Para la crema de limón, mezclamos los huevos y el azúcar con la ralladura y el zumo de limón. Cocemos al baño María a 85 °C removiendo constantemente. Fuera del fuego, dejamos enfriar y añadimos la mantequilla.

Para el merengue italiano, calentamos al baño María las claras con el azúcar. Remover hasta que quede una mezcla homogénea. Cuando esté caliente, batimos durante 10 minutos.

Rellenamos la tarta con la crema de limón, cubrimos de merengue y gratinamos al horno unos minutos hasta que se dore.

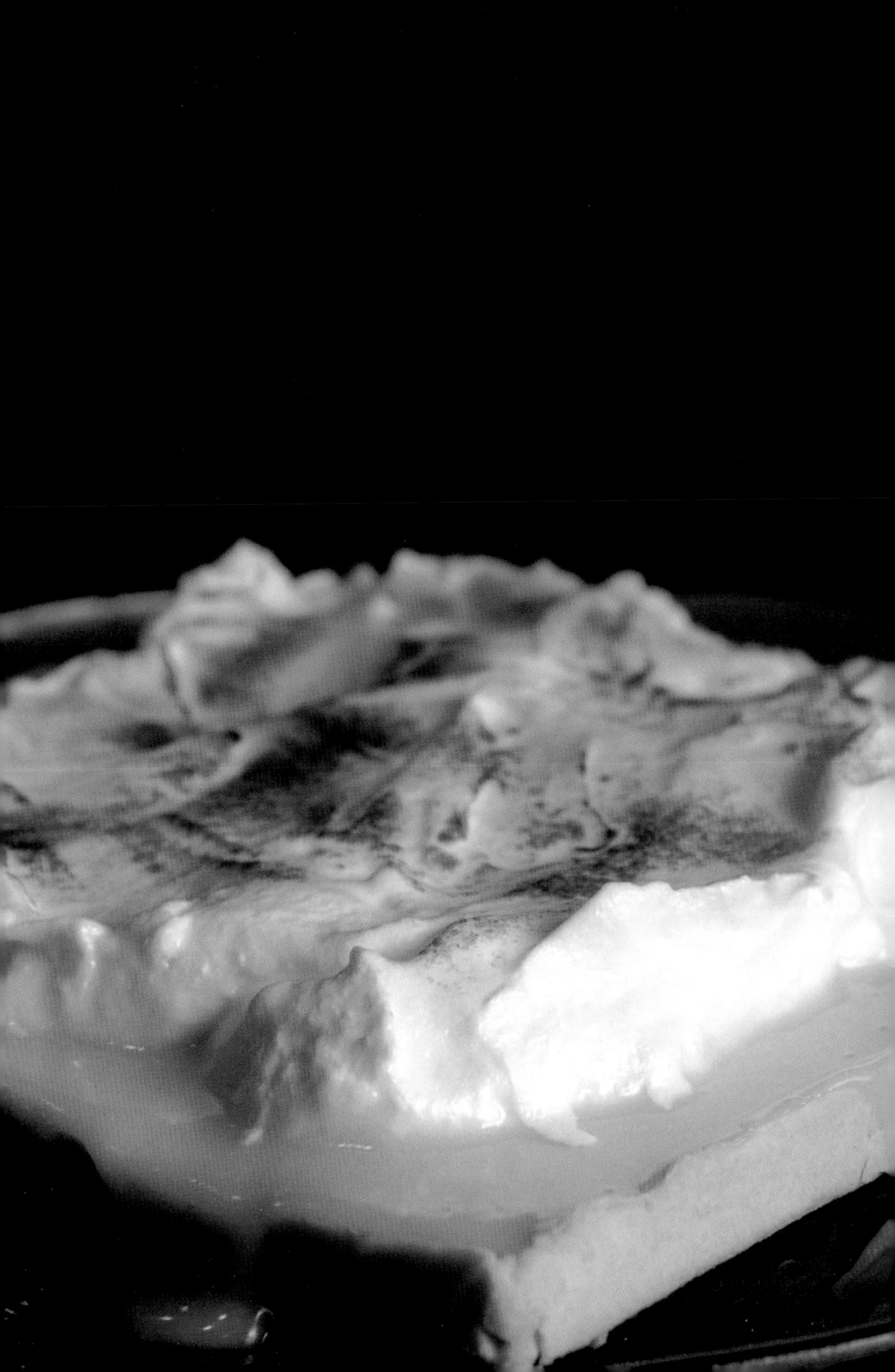

Tarta fina de chocolate

Para la masa quebrada:

- 250 g de harina
- 150 g de mantequilla
- 1 huevo
- 70 g de azúcar
- una pizca de sal

Para el ganache:

- 175 g de chocolate negro
- 175 g de nata
- 1 cucharada de café soluble
- 35 g de mantequilla

Para la salsa de chocolate:

- 200 g de cobertura de chocolate
- 2 cucharadas de nata líquida
- 200 ml de leche
- 30 g de mantequilla

Mezclamos la harina con la mantequilla, el azúcar, la sal y el huevo hasta obtener una masa. Terminamos de amasar con las manos. La dejamos reposar en la nevera unos 30 minutos.

Estiramos la masa. La colocamos en un molde redondo y la pinchamos. La cubrimos con un papel de aluminio y la horneamos a 180 °C durante 20 minutos, y la dejamos enfriar.

Para el ganache hervimos la nata y la mitad de la mantequilla y la echamos sobre el chocolate.

Cuando la mezcla esté templada, añadimos el café y la mantequilla, y vertemos todo sobre la base de la tarta. Dejamos enfriar.

Para la salsa, hervimos la nata con la mantequilla y la leche. Añadimos el chocolate y lo ponemos en una salsera.

Servimos la tarta con la salsera al lado, para que cada uno se sirva lo que desee.

Helado de turrón de Jijona

- 100 g de azúcar
- 100 ml de agua
- unas gotas de limón
- 5 yemas
- ½ vaina de vainilla
- 250 ml de nata líquida
- 375 g de turrón de Jijona desmenuzado

Para los frutos secos caramelizados:

- azúcar
- agua
- pipas
- almendras
- avellanas
- mantequilla

Ponemos al fuego en un cazo el agua, el azúcar y las semillas de vainilla y lo hervimos hasta que tenga la consistencia de jarabe.

Mientras tanto, batimos las yemas de huevo unos 10 minutos hasta que doblen su volumen.

Vertemos el jarabe hirviendo sobre las yemas y continuamos batiendo hasta que se temple.

Montamos la nata. Mezclamos con mucho cuidado con el batido de yemas y añadimos el turrón desmenuzado.

Para los frutos secos caramelizados, calentamos el agua con el azúcar. Añadimos la mantequilla y los frutos secos y los dejamos enfriar sobre un papel de horno.

Revolvemos delicadamente y ponemos en un molde con tapa hermética. Lo ponemos en el congelador durante 6 horas y servimos el helado acompañado con los frutos secos.

Huevos a la nieve con almendras

- 3 claras de huevo
- 35 g de azúcar
- 40 g de almendras garrapiñadas picadas un poco gruesas
- azúcar y mantequilla para espolvorear el molde

Para la crema inglesa:

- 500 ml de leche
- 6 yemas de huevo
- 1 vaina de vainilla
- 100 g de azúcar

Primero untamos con mantequilla un molde redondo de 20 cm de diámetro y 8 cm de alto, procurando que queden todos los bordes bien untados. Espolvoreamos con azúcar moviendo el molde para que se extienda el azúcar y le damos la vuelta para evitar el exceso de la misma.

Batimos las claras de huevo a punto de nieve y añadimos el azúcar progresivamente hasta obtener un merengue brillante. Agregamos con cuidado la mitad de las almendras picadas.

Cubrimos el molde con el merengue procurando que no queden huecos y apretando un poco con una cuchara.

Precalentamos el horno a 100 °C y cocemos el merengue al baño María durante 25 minutos. Si utilizamos moldes pequeños, hay que cocer 20 minutos.

Una vez pasado este tiempo, sacamos del horno y dejamos enfriar.

Para la crema inglesa, hervimos la leche con la vaina de vainilla abierta por la mitad. Batimos las yemas con el azúcar hasta que quede una crema blanca. Mezclamos con la leche hirviendo y cocemos con cuidado sin que hierva.

Colamos y dejamos enfriar.

En una fuente honda colocamos la crema inglesa y desmoldamos el merengue y lo colocamos en el centro, y espolvoreamos con el resto de las almendras.

Copa de toffee y nata

- 250 g de azúcar
- 250 g de nata líquida
- nata montada sin azúcar

Para el crujiente de menta:

- hojas de menta
- aceite de girasol

Ponemos el azúcar y unas gotas de agua a fuego medio hasta obtener un almíbar. Añadimos la nata líquida y hervimos durante 5 minutos sin cesar de remover. Dejamos que el toffee se enfríe toda una noche.

En varias copas ponemos capas alternas de nata montada sin azúcar y toffee.

La última capa debe ser de toffee.

Decoramos con un crujiente de menta: en un plato llano colocamos un papel film y encima ponemos hojas de menta bañadas en aceite de girasol.

Ponemos en el microondas a potencia máxima unos 2 minutos. Las hojas de menta deben quedar lisas y crujientes.

Dejamos enfriar sobre un papel absorbente. Colocamos una hoja sobre cada copa.

Trufas variadas

Para las trufas de avellanas:
- 165 g de mantequilla
- 160 g de praliné de avellanas
- 40 g de azúcar glas
- 200 g de chocolate con leche
- 100 g de cacao

Para las trufas al calvados:
- 400 g de chocolate
- 100 ml de nata
- 70 g de azúcar glas
- 6 cucharaditas de calvados

Para las avellanas caramelizadas:
- 400 g de avellanas tostadas
- 100 g de azúcar
- ½ cucharada de extracto de vainilla
- 50 ml de agua
- 10 g de mantequilla

Para las trufas de avellanas, mezclamos los ingredientes, añadimos el chocolate y trabajamos hasta tener una masa homogénea. Dejamos enfriar.

A continuación, hacemos bolitas y las pasamos por cacao.

Para las trufas al calvados, mezclamos los ingredientes, añadimos el chocolate y trabajamos hasta tener una masa homogénea. Dejamos enfriar, luego hacemos bolitas y las pasamos por cacao.

Para las avellanas caramelizadas, deshacemos el azúcar con el agua en un cazo, añadimos la mantequilla y la vainilla, y por último incorporamos las avellanas; lo ponemos al fuego y lo dejamos caramelizar.

Turrón de quicos

- 1 kg de praliné de almendras
- 150 g de chocolate de cobertura java
- 200 g de quicos
- cobertura caraibes
- 3 g de flor de sal

Templamos la cobertura de chocolate a 35 °C. La añadimos al praliné y mezclamos bien.

Añadimos los quicos troceados y la flor de sal y rellenamos los moldes de turrón untados con la cobertura caraibes. Dejamos cristalizar y sellamos.

Si queremos un turrón más duro podemos añadir 50 g de manteca de cacao.

Polvorones

- 500 g de harina
- 250 g de manteca de cerdo
- canela al gusto
- 250 g de azúcar glas
- 250 g de almendra molida

Primero tostamos la harina.

Una vez tostada, añadimos la almendra en polvo, la manteca, el azúcar y la canela, mezclamos bien para obtener una masa y la dejamos enfriar.

Enharinamos una superficie y estiramos y troquelamos la masa.

Formamos bolitas y las ponemos en una bandeja de horno, dejando espacios entre ellas. Horneamos a 180 °C durante 10-15 minutos.

APÉNDICE

Tipos de masa

Índice de recetas

Índice de ingredientes

TIPOS DE MASA

Masa de hojaldre

- 500 g de harina
- 250 ml de agua fría
- 400 g de mantequilla
- 1 cucharadita de sal

Ponemos la harina y la sal en un bol, hacemos un hueco en el centro y vertemos el agua. Mezclamos y añadimos poco a poco 50 g de mantequilla en pomada hasta formar una masa elástica, suave y seca. Formamos una bola, la envolvemos en papel film y la dejamos en la nevera toda una noche.

Al día siguiente, con un rodillo estiramos la masa en forma rectangular y colocamos en el centro la mantequilla cortada en láminas. La envolvemos con la masa como si fuera un paquete y dejamos descansar ½ hora en la nevera.

Volvemos a estirar la masa en forma rectangular y la doblamos en tres partes. Colocamos ½ hora en la nevera. Estiramos la masa por tercera vez y la doblamos en cuatro partes.

Después de dejarla descansar otra ½ hora, estiramos y doblamos en tres partes.

Masa de pizza

- 400 g de harina
- 200 a 250 ml de agua tibia
- 15 g de levadura fresca de panadería o 5 g de levadura en polvo
- 2 cucharadas de aceite de oliva
- 1 cucharadita de sal

Desmenuzamos la levadura y la disolvemos en 2 o 3 cucharadas de agua tibia. La dejamos descansar unos 15 minutos. Colocamos la harina con la sal en un bol y disponemos la levadura en el centro.

Poco a poco vamos añadiendo el aceite y el agua tibia que admita la masa. Mezclamos bien con la ayuda de un tenedor y amasamos unos 5-10 minutos hasta obtener una masa lisa y elástica.

Formamos una bola y dejamos descansar la masa bien tapada con un paño húmedo en un lugar templado unas 2 horas, hasta que doble su volumen.

Estiramos la masa sobre una superficie de trabajo y la ponemos en una bandeja de horno untada con aceite.

Masa quebrada

- 250 g de harina
- 125 g de mantequilla fría
- 4 cucharadas de agua fría
- 1 huevo
- 1 cucharada de azúcar
- una pizca de sal

Cortamos la mantequilla fría en trozos pequeños y la mezclamos con la harina. Unimos los ingredientes con la punta de los dedos hasta lograr una masa arenosa.

Hacemos un hueco en el centro y vertemos en él el agua, el azúcar, la sal y el huevo. Mezclamos bien y vamos incorporando la harina con la mantequilla poco a poco, con las manos, cuidando no trabajar la masa demasiado.

Formamos una bola y la aplanamos con la mano. Envolvemos con papel film y la ponemos en la nevera ½ hora.

Por último, extendemos la masa con el rodillo.

TIPOS DE MASA

Masa de empanada

- 500 g de harina
- 200 ml de aceite de oliva
- ½ cucharadita de levadura en polvo
- 150 ml de leche tibia
- una pizca de sal

En una superficie de trabajo colocamos la harina mezclada con la levadura y hacemos un hueco en el centro. Mezclamos el aceite con la leche tibia, añadimos la sal y vertemos todo en el centro de la harina.

Unimos todos los ingredientes y amasamos bien hasta obtener una maza compacta y homogénea, que no resulte pegajosa.

Dejamos reposar la masa durante una hora tapada con un paño de cocina.

Pasado este tiempo, dividimos la masa en dos partes iguales y las extendemos con la ayuda de un rodillo hasta que queden dos tapas finas.

Masa de empanadillas

- 250 g de harina
- 100 ml de aceite de oliva
- 70 ml de agua
- 1 cucharadita de sal

En un bol mezclamos la harina con la sal. Aparte, removemos el agua y el aceite, y lo vertemos sobre la harina.

Mezclamos todo bien hasta obtener una masa que no resulte pegajosa.

Trabajamos con los dedos y hacemos una bola. Dejamos descansar en la nevera durante una hora.

Sobre una superficie enharinada estiramos la masa con un rodillo. Finalmente, con la ayuda de un cortapastas o de un platillo, cortamos discos de unos 10 cm de diámetro.

Bizcocho

- 8 huevos
- 250 g de azúcar
- 250 g de harina
- 50 g de mantequilla derretida
- 1 cucharadita de levadura para repostería

Precalentamos el horno a 150 °C. Untamos un molde desmoldable con mantequilla y lo enharinamos.

Batimos el azúcar y los huevos en un cuenco, entibiando la preparación a baño María durante 5 minutos.

Retiramos del fuego y agregamos la mantequilla. Seguimos batiendo hasta que la mezcla esté espumosa. Añadimos poco a poco la harina mezclada con la levadura y removemos a fondo.

Colocamos la mezcla en el molde ya preparado. Cocinamos en horno moderado durante una hora.

Dejamos reposar, y desmoldamos. Por último, dejamos enfriar el bizcocho antes de servir.

ÍNDICE DE RECETAS

ÍNDICE DE RECETAS

102 Amasa +. La vida es dulce

ÍNDICE DE INGREDIENTES